Daliwch yr Afr 'na!

ADEMOLA COMPOUND

Polly Alakija

Addaswyd gan Elin Meek

Pobl Yoruba

Merch Yoruba o Nigeria yw Ayoka. Llwyth Yoruba yw un o lwythau mwyaf y wlad. Maen nhw'n enwog am eu cerddoriaeth, eu dawnsio a'u celf. Efallai eich bod chi wedi gweld cerfiad pren o Oyo neu gerflun efydd o Benin mewn amgueddfa. Mae gan rai pobl Yoruba farciau'r llwyth ar eu hwynebau, ond dydyn nhw ddim i'w gweld mor aml nawr. Mae'r teulu'n bwysig iawn i bobl Yoruba ac mae perthnasau pell yn helpu ei gilydd, hyd yn oed. Weithiau bydd pobl sy'n gwneud llawer dros y gymuned yn cael eu galw'n bennaeth. Mae pobl Yoruba'n hoffi chwerthin a mwynhau eu hunain; mae'n debyg mai nhw yw rhai o'r bobl hapusaf ar y ddaear!

Mae pobl Yoruba wedi symud i bedwar ban y byd. Maen nhw'n mynd â'u diwylliant gyda nhw i bobman. Os edrychwch chi'n ofalus, efallai y gwelwch chi rywun yn gwerthu iams yng Nghaerdydd, neu efallai y clywch chi guriad drymiau siarad ym Mangor.

Mae stori y tu ôl i bob enw yn iaith Yoruba. Ystyr 'Ayo' yw llawenydd; Ayoka yw rhywun sy'n dod â llawenydd i ni. Ystyr 'Iya' yw mam; Iyaolomon yw mam llawer o blant. Os cwrddwch chi â rhywun o'r enw Taiwo neu Kehinde, byddwch chi'n gwybod wrth eu henw mai un o efeilliaid ydyn nhw.

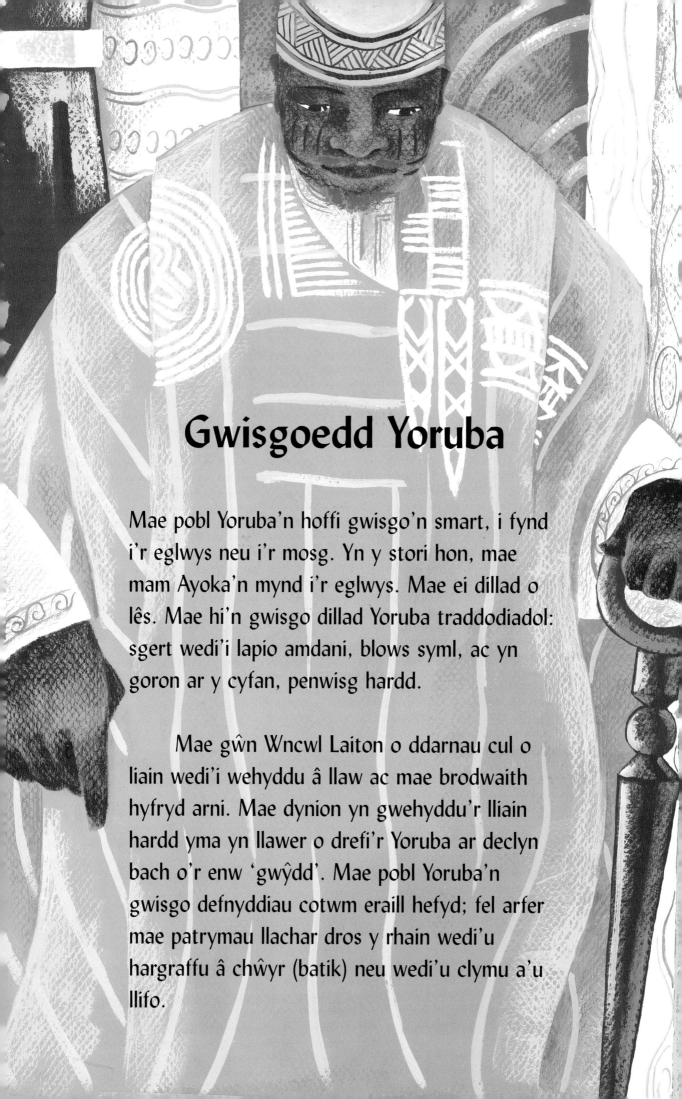

Gwisgoedd Yoruba

Mae pobl Yoruba'n hoffi gwisgo'n smart, i fynd i'r eglwys neu i'r mosg. Yn y stori hon, mae mam Ayoka'n mynd i'r eglwys. Mae ei dillad o lês. Mae hi'n gwisgo dillad Yoruba traddodiadol: sgert wedi'i lapio amdani, blows syml, ac yn goron ar y cyfan, penwisg hardd.

Mae gŵn Wncwl Laiton o ddarnau cul o liain wedi'i wehyddu â llaw ac mae brodwaith hyfryd arni. Mae dynion yn gwehyddu'r lliain hardd yma yn llawer o drefi'r Yoruba ar declyn bach o'r enw 'gwŷdd'. Mae pobl Yoruba'n gwisgo defnyddiau cotwm eraill hefyd; fel arfer mae patrymau llachar dros y rhain wedi'u hargraffu â chŵyr (batik) neu wedi'u clymu a'u llifo.

Iaith Yoruba

Mewn trefi, mae'r rhan fwyaf o bobl yn siarad Saesneg a Yoruba. Mae cyfarchion yn bwysig iawn, a rhaid i bobl ifanc ddangos parch at oedolion wrth eu cyfarch. Dyna pam mae'n rhaid i Ayoka gyfarch pobl yn gywir, gan ddechrau gyda Oga (Syr), Baba (Wncwl neu Mr), Oni (teitl i fasnachwr), Wncwl neu Anti. Dydy hyn ddim yn golygu mai ei modryb go iawn yw Anti Wemimo, ond mae'n arwydd o barch a chyfeillgarwch.

1 i 10 yn iaith Yoruba

1
ni

2
eji

3
eta

4
rin

5
aarun

6
eefa

7
eeje

8
eejo

9
eesan

10
eewa

Dweud 'Helo!' yn iaith Yoruba

E kaaro – Bore da
E kaasan – Prynhawn da
E ku irole – Noswaith dda
(yn gynnar)
E ku ale – Noswaith dda
(yn hwyr)

Bywyd bob dydd i Ayoka

Mae Ayoka'n byw yn Ibadan, yng nghlos Ademola. Mae nifer o deuluoedd, neu lawer o bobl o un teulu mawr, yn rhannu un clos. Mae pawb yn barod i helpu ei gilydd, ac mae gan blant hyd yn oed waith i'w wneud ar ôl dod adref o'r ysgol. Maen nhw'n gofalu am frodyr neu chwiorydd iau, ysgubo'r clos, nôl dŵr o'r ffynnon, neu'n helpu i baratoi bwyd. Gofalu am yr afr oedd gwaith Ayoka!

Pobl Yoruba yw'r rhan fwyaf o bobl Ibadan. Mae rhai'n Gristnogion ac eraill yn Fwslimiaid. Mae llawer o wahanol eglwysi a mosgiau. Hyd yn oed yn y marchnadoedd mae eglwys fach neu gornel fach dawel lle mae'r Mwslimiaid yn gweddïo. Mae llawer o wyliau cyhoeddus i ddathlu'r prif wyliau sanctaidd Cristnogol a Mwslimaidd. Mae'r plant yn falch o gael amser o'r ysgol ond maen nhw hefyd yn dysgu parchu crefyddau ei gilydd.

Ymweld â'r Farchnad

Mae'r farchnad yn nhref Ayoka'n lle prysur, poeth a swnllyd iawn. Mae rhywun yn gwerthu rhywbeth ym mhob twll a chornel. Mae bwyd yn cael ei goginio drwy'r dydd. Y tu allan i glos Ayoka mae Mama Kudi'n gwerthu 'boli'. Math o fanana wedi'i rostio ydyn nhw. Hefyd mae menyw'n gwneud 'akara'. Teisen ffa wedi'i ffrio yw hon, i'w bwyta amser brecwast fel arfer. Y tu allan i 'buka' (tŷ bwyta bychan) Mama Put mae rhai menywod yn malu yam.

Mae popeth sydd ar werth yn cael ei arddangos yn hardd, pob brws glanhau hyd yn oed. Pentyrrau uchel o ffrwythau trofannol, cnau daear mewn bagiau fel pyramidiau bychain, bleiddiaid môr wedi'u cochi ar briciau bychain. Ond chwiliwch am y malwod enfawr (danteithion arbennig) oherwydd wnân nhw ddim aros yn eu basged! Mae geifr bychain i'w gweld ym mhobman. Maen nhw'n edrych fel petaen nhw ar goll, ond mae pawb yn gwybod yn union pwy biau pa afr!

Ble mae Nigeria?

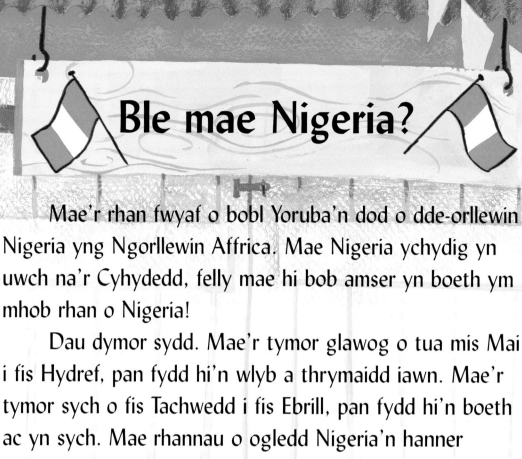

Mae'r rhan fwyaf o bobl Yoruba'n dod o dde-orllewin Nigeria yng Ngorllewin Affrica. Mae Nigeria ychydig yn uwch na'r Cyhydedd, felly mae hi bob amser yn boeth ym mhob rhan o Nigeria!

Dau dymor sydd. Mae'r tymor glawog o tua mis Mai i fis Hydref, pan fydd hi'n wlyb a thrymaidd iawn. Mae'r tymor sych o fis Tachwedd i fis Ebrill, pan fydd hi'n boeth ac yn sych. Mae rhannau o ogledd Nigeria'n hanner diffeithwch a fydd hi ddim yn bwrw glaw yn aml yno. Yn y de mae hi'n drofannol iawn. Roedd coedwigoedd mawr yn arfer bod yno ond mae llawer o'r coedwigoedd wedi cael eu clirio i wneud lle i ffermio.

Abuja yw prifddinas Nigeria. Mae'n union yng nghanol y wlad. Yn Lagos mae'r prif borthladd a'r ganolfan fasnach.

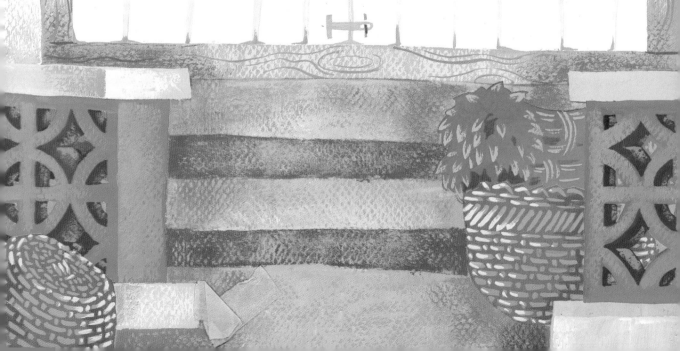

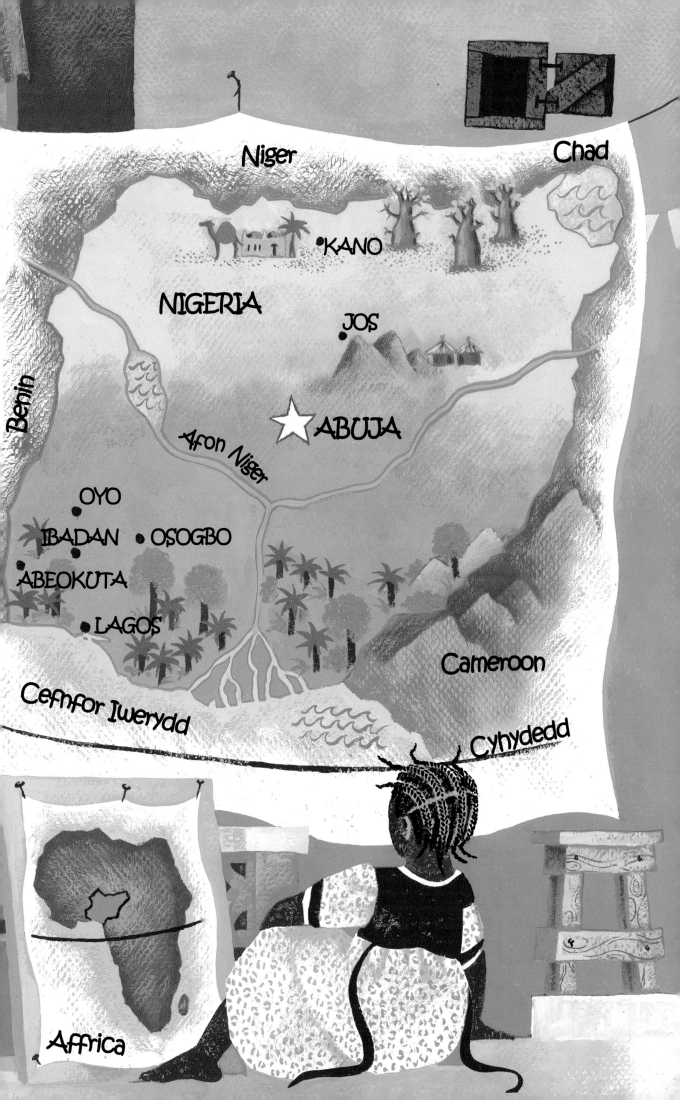

Llyfrau Barefoot
Dathlu Celf a Storïau

Mae Llyfrau Barefoot yn dathlu gwaith celf a stori sy'n
agor calonnau a meddyliau plant o bob cefndir. Caiff y plant
eu hysbrydoli i ddarllen yn ddyfnach, i chwilio ymhellach
ac i archwilio eu doniau creadigol eu hunain.
Daw ein hysbrydoliaeth o nifer o wahanol ddiwylliannau,
ac rydym yn canolbwyntio ar themâu sy'n ennyn ysbryd annibynnol,
brwdfrydedd dros ddysgu, a deall gwahanol draddodiadau'r byd.
Mae ein cynnyrch rhyngweithiol, chwareus a hardd
yn cyfuno elfennau gorau'r presennol ag elfennau
gorau'r gorffennol i addysgu ein plant fel ceidwaid y dyfodol.

I Taiwo, Kehinde, Idowu ac Alaba-Ayoka – P.A.

Llyfrau Barefoot (Cymru) Cyf.,
Suite 112, 61 Wellfield Road, Caerdydd, CF24 3DG

Hawlfraint y testun a'r lluniau 2002 © Polly Alakija
Addaswyd gan Elin Meek 2008

Mae Polly Alakija wedi datgan ei hawl foesol i gael ei chydnabod fel awdur ac arlunydd y llyfr hwn.

Cyhoeddwyd gyntaf yn y Deyrnas Unedig yn 2002 gan
Barefoot Books Ltd., 124 Walcot Street, Caerfaddon, BA1 5BG
Teitl gwreiddiol: *Catch that Goat!*
Argraffiad Cymraeg cyntaf yn 2008 gan Llyfrau Barefoot (Cymru) Cyf.

Cyhoeddwyd dan nawdd Cynllun Adnoddau Addysgu a Dysgu CBAC

Cysodwyd y llyfr hwn yn Lydian
Darparwyd y darluniau mewn cyfrwng cymysg ar bapur dyfrlliw

Dylunio graffeg gan Polka. Creation, Caerfaddon

Atgynhyrchu lliw gan Grafiscan, Verona
Argraffwyd yn China gan Tien Wah Press Ltd.

Argraffwyd y llyfr hwn ar bapur cwbl ddi-asid

ISBN 978-0-9552659-6-9

Mae cofnod catalog ar gyfer y llyfr hwn
ar gael o'r Llyfrgell Brydeinig.